W9-CPW-800

呀，地震了

学会在地震发生时保护自己

本书编写组 编

世界图书出版公司

广州·上海·西安·北京

图书在版编目(CIP)数据

呀,地震了/《呀,地震了》编写组编. —广州:世界图书
出版广东有限公司, 2015.10

(小牛顿的第一套科普绘本)

ISBN 978-7-5192-0332-0

Ⅰ.①呀… Ⅱ.①呀… Ⅲ.①科学知识 – 学前教育 – 教学
参考资料 Ⅳ.①G613.3

中国版本图书馆 CIP 数据核字(2015)第 245649 号

呀,地震了

YA. DIZHENLE

责任编辑:韩海霞
装帧设计:华阳文化
出版发行:世界图书出版广东有限公司
　　　　　(广州市新港西路大江冲 25 号　　邮编:510300)
电　　话:(020)84451013
网　　址:http://www.gdst.com.cn
邮　　箱:wpc_gdst@163.com
经　　销:新华书店
印　　刷:湖北金海印务有限公司
开　　本:710mm × 1000mm　　1/16
印　　张:2
字　　数:5 千字
版　　次:2017 年 8 月第 1 版
印　　次:2017 年 8 月第 2 次印刷
国际书号:ISBN　978-7-5192-0332-0
定　　价:15.00 元

若因印装质量问题影响阅读,请与承印厂联系退换。

献给孩子的科普绘本

天空中为什么会有彩虹？月亮为什么每天都在变化？糖掉在水里为什么会不见了？一年中为什么会有四季的变迁？水在自然界是怎么循环的？……我们在日常生活中常常遇到的这些现象，在孩子们的小脑袋里形成了许多个"为什么"，这些看似平常的问题，家长们往往却不能说出个所以然来。

孩子们对世界的求知欲和探索欲正是在这一次次的提问，并在一次次找到答案的过程中培养起来的。"小牛顿的第一套科普绘本"这套丛书，以讲故事的方式向孩子们阐释科学知识，每一段简单的文字都配上了可爱的图画，将科学知识融于其中，浅显易懂、趣味十足，能将孩子们牢牢地吸引住。

在这套丛书的最后，专门设置了亲子互动环节，列举了更多的实例，让孩子们了解更多相关的知识点。还有简单、易操作的小实验，更能激发孩子阅读的兴趣。

那么，一起来探索科学的奥秘吧！

　　兔妈妈大清早起来就忙忙碌碌,一会儿忙着给小兔们准备早餐,一会儿忙着打扫卫生。平时,兔妈妈有充裕的时间来做这些事,但今天是周末——她和熊妈妈约好要一起去超市大采购。

"兔小乖，兔小萌，你们自己乖乖吃早餐，妈妈要去一趟超市，很快就回来。"兔妈妈将早餐放在桌上，提上篮子，换好衣服就出门了。兔小乖和兔小萌坐在椅子上开始吃早餐，兔妈妈特意为他们准备了美味的胡萝卜卷饼。

胡萝卜是小兔子十分爱吃的东西哟。

吃完早餐,兔小萌和兔小乖将碗筷收拾好,把装着积木的大箱子搬了出来。兔小萌说:"我最近学会了一种新的玩法,能将积木搭得很高,比我还高。"他一边说,一边比划着。兔小乖看着兔小萌,咯咯地笑起来:"那我们赶紧开始吧。"

不一会儿,兔小萌真的搭好了一座高高的房子,他可高兴了。兔小乖也用积木搭了一座漂亮的房子,两个人玩得不亦乐乎。"以后等我长大了,我一定要住一座又大又漂亮的房子,就跟这座一样。"兔小乖对兔小萌说。

外面的天变得灰蒙蒙的,屋子里的光线也变得有些昏暗了。"是不是要下雨了,我去把窗户关好。"兔小萌站起来刚把窗户关好,忽然听到"轰隆——隆——"的响声,他觉得自己脚底的地板好像晃了一下。

放在桌子上的水杯"啪"的一下掉在地上，墙上的相框也摔到地上，玻璃都裂了。兔小萌突然想到妈妈以前给他讲过的地震故事，便大叫了一声："呀，地震了！"兔小乖完全不知道发生了什么，看着东西纷纷掉到地上，积木骨碌碌滚得到处都是，吓得哭了起来。

小贴士

地震是地球内部缓慢积累的能量突然释放引起的地球表层的振动。

"小乖，别哭，快过来！"兔小萌想起妈妈对他说的防震知识：在家里碰到地震时，要尽快到小房间里去，小房间更安全。他拉着兔小乖，朝卫生间的方向跑去，顺手在沙发上抓起两个坐垫顶在头上。

小贴士

空间较小的房间的承重墙与柱子比较密，使整个空间的结构比较紧凑，结构强度高，不容易倒，就是倒了，也容易形成空间，不会被活埋。

过了一两分钟,房子的摇晃减轻了,兔小萌对兔小乖说:"小乖,用坐垫保护好头,我们跑出去。"他们飞快地跑出小屋,在附近的空地上停了下来。空地上站满了慌慌张张的小动物,大家都被这突如其来的地震给吓坏了。

兔妈妈急匆匆地赶回来，在空地上看到自己的孩子，见他们都平平安安的，她激动地一把将他们抱在怀里，问道："宝宝，你们是怎么逃出来的？"

兔小萌向妈妈讲述了事情的经过。兔妈妈听完后高兴地问他："你怎么知道要躲到卫生间里去呢？"兔小萌说："我记得您以前跟我说过，地震的时候，如果来不及跑到外面，就要躲到小空间里去，我们家卫生间最小，我就带小乖去那里了。"

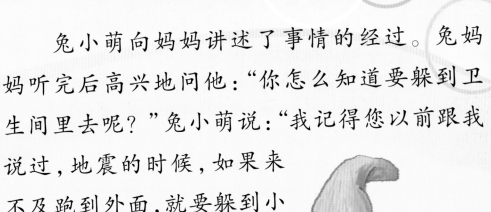

　　兔妈妈接着问道："你们为什么都顶着坐垫呢？""地震的时候，有东西掉下来，容易砸到脑袋，顶着坐垫，可以保护脑袋，不被掉下的东西砸伤。"兔小萌回答。"妈妈，我们这样做，对吗？"

🍵 小贴士

　　用软软的东西如坐垫、枕头等护着脑袋，可以减小东西掉下来时产生的力量，减轻头部所承受的撞击。

23

"你们做得对极了！"兔妈妈听完兔小萌的话，高兴地伸手摸摸两只小兔的头，"我的宝宝已经长大了，知道怎么保护自己了，妈妈真为你们感到骄傲。"

"妈妈，这是您教我们的呀，以后您要多讲讲安全知识给我们听，这样我们就能更好地保护自己啦。"兔小萌摇摇耳朵，对妈妈说。"好呀，妈妈以后一定多讲点安全知识给你们听，这样我也可以不用那么担心你们了。"

什么是地震？

　　地震，是地球内部发生急剧破裂产生的震波在一定范围内引起地面震动的现象，在古代又称为地动。它像海啸、龙卷风、冰冻灾害一样，是地球上经常发生的一种自然灾害。大地震动是地震最直观、最普遍的表现。地震是极其频繁的，全球每年发生地震约为550万次。

就地选择开阔地避震：蹲下或趴下，避开人多的地方

避开高大建筑物：楼房、立交桥、高烟囱、高塔

避开危险物、高耸或悬挂物：变压器、电线杆、路灯、广告牌等

震前动物有预兆，密切监视最重要。
骡马牛羊不进圈，鸭不下水狗狂叫。
老鼠搬家往外逃，鸽子惊飞不回巢。
冰天雪地蛇出洞，鱼儿惊惶水面跳。